El cromosoma de Beatriz

Ester Hernández Palacios

Ilustraciones de Teresa Martínez

Hernández Palacios, Ester
El cromosoma de Beatriz / Ester Hernández Palacios ; ilus. de Teresa Martínez.
– México : Ediciones SM, 2014
64 p. : il. ; 19 x 12 cm. – (El barco de vapor. Blanca ; 48 M)

ISBN: 978-607-24-1264-4

1. Cuentos mexicanos. 2. Niños incapacitados – Literatura infantil. 3. Aventuras – Literatura infantil. I. Martínez, Teresa, il. II. t. III. Ser.

Dewey 863 M35

Gerencia de Literatura Infantil y Juvenil: Ana Arenzana
Coordinación editorial: Olga Correa Inostroza
Asistencia editorial: Mariana Hernández y Rojas
Diagramación: Juan José Colsa

Primera edición México, 2014

Magdalena 211, Colonia del Valle,
03100, México, D. F.
Tel.: (55) 1087 8400

Para conocer SM, su fondo editorial y sus servicios: www.ediciones-sm.com.mx
Para comprar libros de SM en línea: www.libreriasm.com

ISBN 978-607-24-1264-4
ISBN 978-968-779-176-0 de la colección El Barco de Vapor

Miembro de la Cámara Nacional de la Industria Editorial Mexicana
Registro número 2830

Impreso en México / *Printed in Mexico*

El cromosoma de Beatriz
se terminó de imprimir en octubre de 2014
en Editorial Impresora Apolo, S. A. de C. V., Centeno núm. 150, local 6, col. Granjas Esmeralda, c. p. 09810, Iztapalapa, México, D. F.
En su composición se empleó la fuente Augereau.

Para Alejandra, Irene y Beatriz,
mis hijas, y a Aureliano, mi padre.

La curiosidad hizo que Daniel
se acercara a la casa.
La curiosidad mató al gato.
¿No es cierto?

Éramos cuatro, bueno más bien éramos cinco, si contamos a Manchas que siempre ha formado parte de la familia. Nació mi hermanita y entonces nos volvimos seis, o siete, si contamos el cromosoma de más con el que ella nació.

En la casa todos esperaban, con mucho entusiasmo, que llegara mi hermanita. Mi mamá y mi abuela bordaban y tejían, mi papá llegaba con bolsas y paquetes. Aunque a mí, mis papás me corrieron de su cuarto y metieron mi cama en el de Alejandra, mi hermana mayor.

Una noche mi papá nos pidió que ayudáramos a encontrarle nombre a la bebé que iba a nacer: Lucía, Sara, Elisa, Laura..., él los dictaba, Alejandra los escribía y yo escuchaba. Todos sonaban tan bonitos que no nos podíamos decidir.

A mi mamá se le ocurrió que hiciéramos unas tarjetas, cada una con un nombre por un lado y su significado por el otro, y que escogiéramos el que nos pareciera mejor.

Antes de que mi papá me acabara de leer todas las tarjetas, mi mamá y Ale se decidieron por Beatriz: la que trae felicidad. Aunque a mí, más que felicidad me daba coraje que llegara y me quitara mi lugar.

Y llegó. Una noche mis papás nos pasaron a dejar a casa de los abuelos y yo me puse a llorar hasta que mi abuelito me cargó y me quedé dormida en sus brazos. Al día siguiente fuimos a conocerla.

Mi mamá no solo tenía una aguja en el brazo, sino los ojos rojos, como se me ponen a mí después de llorar. Así que, mientras los demás estaban felices, a mí me dio más coraje.

—¿Qué te hizo esa mocosa? —le pregunté, mientras los demás ni la veían porque iban derechito a asomarse a la cuna.

Cuando mi abuela la cargó me fijé que no le gustaba mucho. Como ella se dio cuenta de que yo hacía un gesto al verla me dijo:

—Así son los recién nacidos, pero ya verás qué bonita se va a poner dentro de unas semanas.

Mamá y Beatriz tardaron muchos días en regresar a casa. Yo pensaba que tal vez estaban esperando que se volviera bonita.

Un día antes de que llegaran, papá nos explicó a Ale y a mí que Beatriz había nacido con algunos problemas y que por eso ella y mamá se habían tardado tanto en el hospital.

Yo pensé que tal vez le faltaba una oreja, o que tenía menos de cinco dedos en un pie.

Ese mismo día, como Alejandra preguntaba, mi abuelo le dijo muchas cosas que no entendí, pero lo que sí escuché muy bien fue que a mi hermanita no le faltaba nada; al contrario, había nacido con un cromosoma de más, aunque entonces tampoco entendí qué significaba eso.

La vida de mi familia se complicó cuando, por fin, mamá y Beatriz llegaron a casa. Mi papá nos dijo que nuestra hermanita era muy frágil y que mamá estaba muy preocupada, por eso nos pidió que nos portáramos muy bien con ella.

Cuando escuché la palabra frágil pensé enseguida en la bombonera de cristal que hay sobre el trinchador del comedor. Cada vez que quiero un chocolate tengo que pedírselo a un adulto, pues es de un cristal muy frágil y puede romperse con cualquier cosa.

Se lo comenté a papá, porque mi mamá siempre estaba cuidando a Beatriz, o cansada, y él me contestó que sí, que era algo parecido. Me dijo que mi hermana tenía algo llamado Síndrome de Down que le complicaba todo, pero que, juntos, íbamos a lograr que se volviera tan fuerte como nosotros.

No me quedó muy claro por qué si tenía de más eso que le dicen cromosoma, era menos fuerte que nosotras, pero me acordé de la bombonera y fui a pedirle a mi abuelo, que en esos días andaba mucho por mi casa, un chocolate.

A las pocas semanas de esa plática, cuando ya nos estábamos acostumbrando a vivir con dos bomboneras de cristal en casa, mi hermanita se puso muy enferma. La llevaron de regreso al hospital, y Ale y yo nos fuimos a vivir con los abuelos.

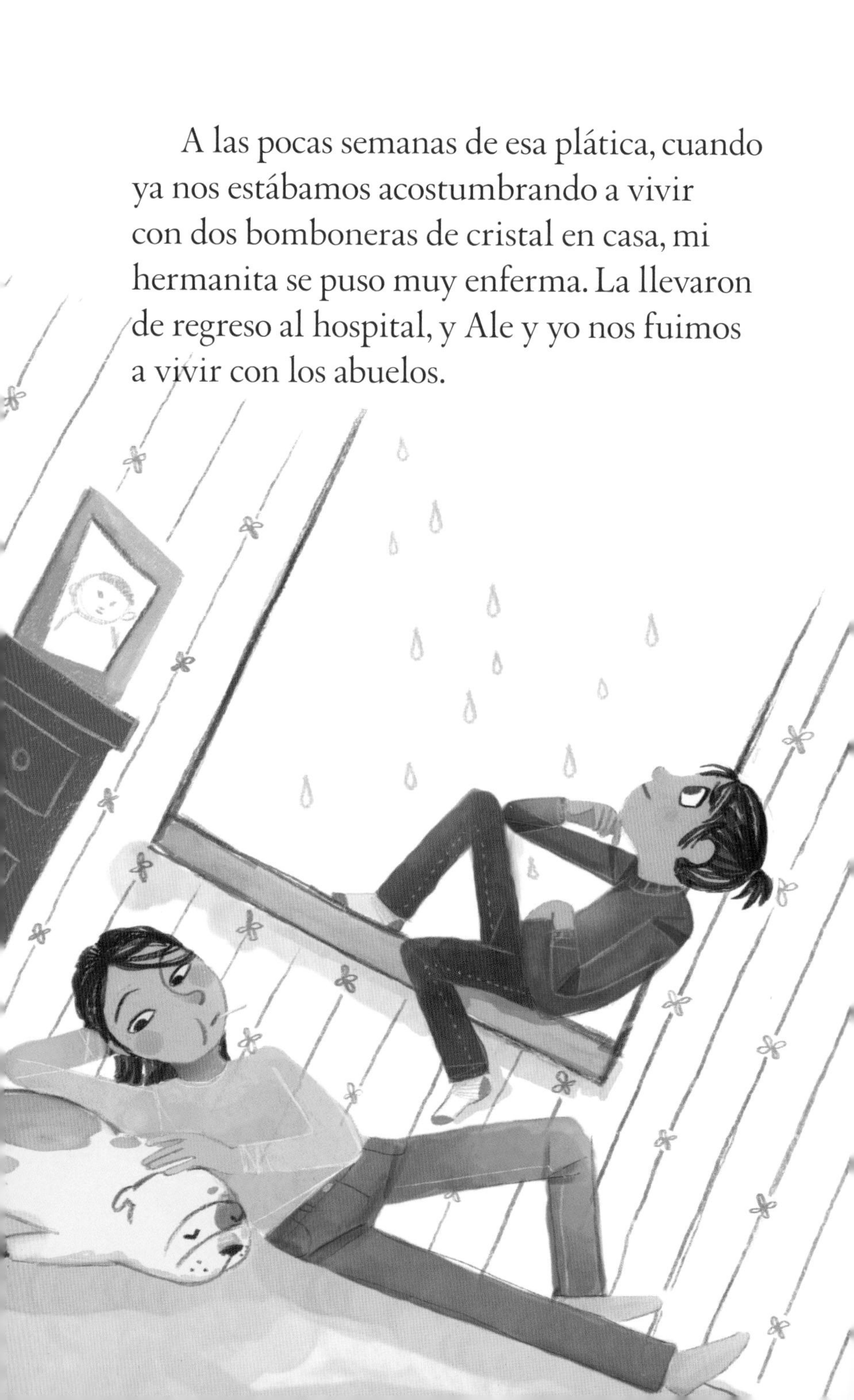

La operaron del corazón y quedó casi tan chiquita y flaca como de recién nacida. Apenas podía levantar la cabeza y cuando lloraba su voz se escuchaba como una flauta desafinada.

El día que por fin todos regresamos a casa, mis papás nos dijeron que no la íbamos a descuidar y que todos trabajaríamos para que se repusiera y pudiera hacer lo mismo que nosotras. Y de verdad que hemos trabajado.

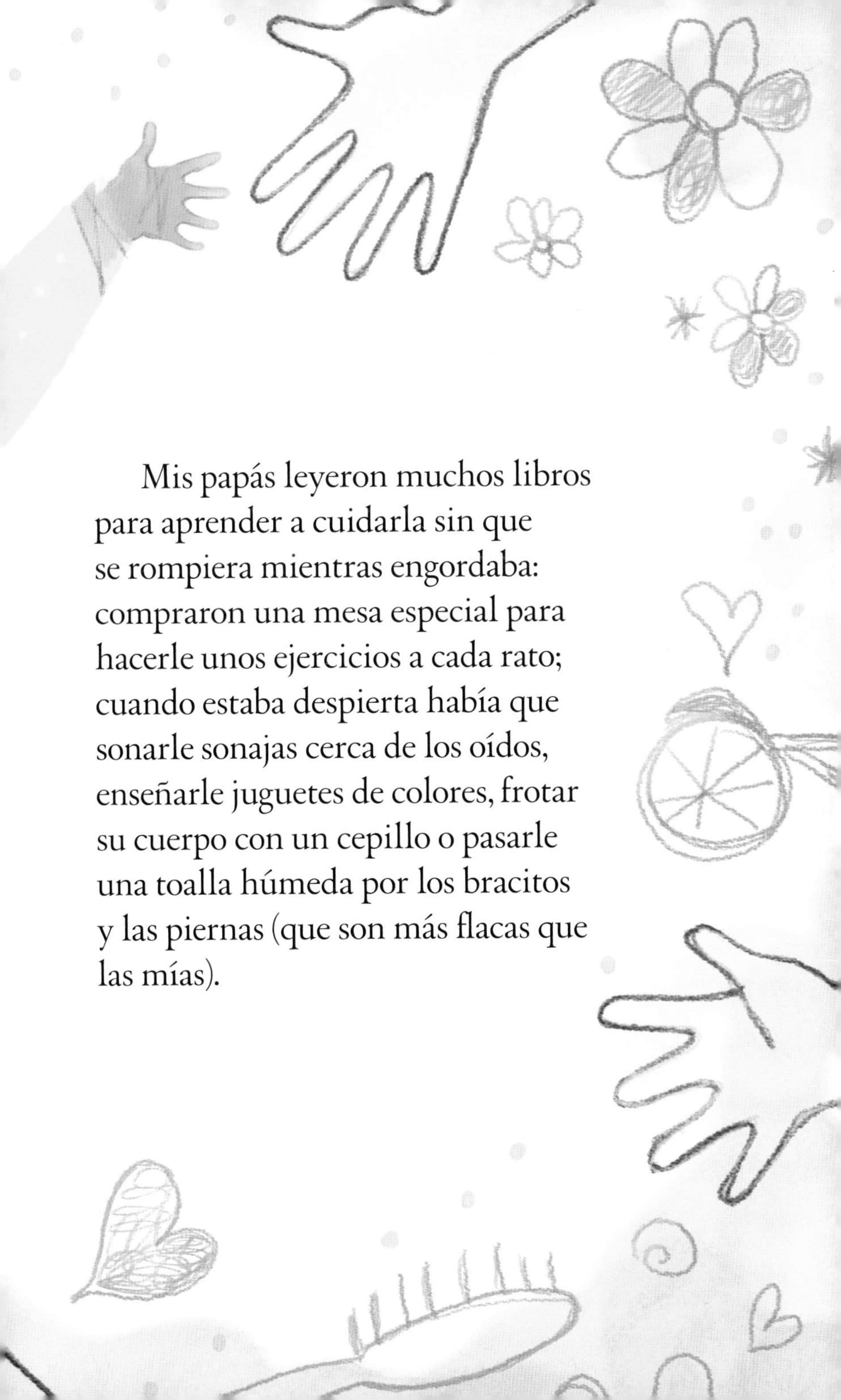

Mis papás leyeron muchos libros para aprender a cuidarla sin que se rompiera mientras engordaba: compraron una mesa especial para hacerle unos ejercicios a cada rato; cuando estaba despierta había que sonarle sonajas cerca de los oídos, enseñarle juguetes de colores, frotar su cuerpo con un cepillo o pasarle una toalla húmeda por los bracitos y las piernas (que son más flacas que las mías).

A Ale y a mí nos gustaba que mi mamá siempre estuviera en casa y ayudarla cuando necesitaba. Con todos juntos y siempre escuchando música, parecía que su nombre tenía sentido: Beatriz traía felicidad.

Me convencí de que seguramente por eso cuando ella y mi mamá se suben a un camión y no hay dónde sentarse, enseguida alguien se levanta para que ellas tomen su lugar. Y por eso nadie le gana a dar abrazos y besos, y siempre hace sonreír hasta a las personas más serias.

Mi hermanita casi no lloraba. Bueno, al principio, porque cuando estuvo más fuerte sus gritos se oían hasta en las escaleras del edificio.

Cada vez que lograba hacer algo nuevo, había fiesta en la familia. Cuando por fin pudo sentarse, mi mamá lloró de emoción.

"Debe de pesarle mucho el cromosoma —pensaba yo—, por eso le cuesta trabajo mantenerse derecha."

Empezó a gatear
con ayuda de nosotros.
Y aprendió a hacerlo
tan bien que mis papás
compraron una pista y
jugábamos a hacer carreras
con ella. Cuando pudo caminar,
agarrada del lomo de Manchas,
hicimos una fiesta.

No me acuerdo cuándo fue que se rio conmigo por primera vez, pero sí que yo también me reí con ella, porque para entonces ya se me había pasado el coraje.

Primero la llevaban a clases de todo: de sentarse, de gatear, de caminar, de hablar... Pero después entró al kínder de mi escuela. Al principio la directora no quería admitirla porque decía que no se iba a integrar, pero mis papás insistieron en que le diera una oportunidad. Fue una semana de prueba y se quedó.

Cuando una niña me dijo que Beatriz era fea, me enojé tanto que le di un pellizco tan fuerte que ninguna niña se atrevió a volver a molestarme.

Pero esa noche no me podía dormir. No entendía todavía cómo era que, si tenía un cromosoma más, parecía más bien que tuviera algo menos que nosotras. Me levanté y fui de puntitas a su cuarto para no hacer ruido.

Me volví a acordar de la bombonera y tal vez ella me sintió porque, sin abrir los ojos, se sonrió y entonces recordé lo ricos que son los chocolates.

Todavía no entendía mucho del asunto, pero regresé a mi cama y me dormí pensando en la sonrisa de mi hermana.

Unos cuantos días después, Beatriz amaneció resfriada y en lugar de ir a la escuela, se quedó en casa con mamá. Yo estornudé porque de pronto me dio flojera, pero mi papá se sonrió, cargó mi mochila y me dio la mano.

Alejandra ya nos esperaba en la puerta con cara de drama porque no le gustaba llegar tarde, así que no tuve más remedio que irme y dejar otra vez sola a mamá con la bombonera.

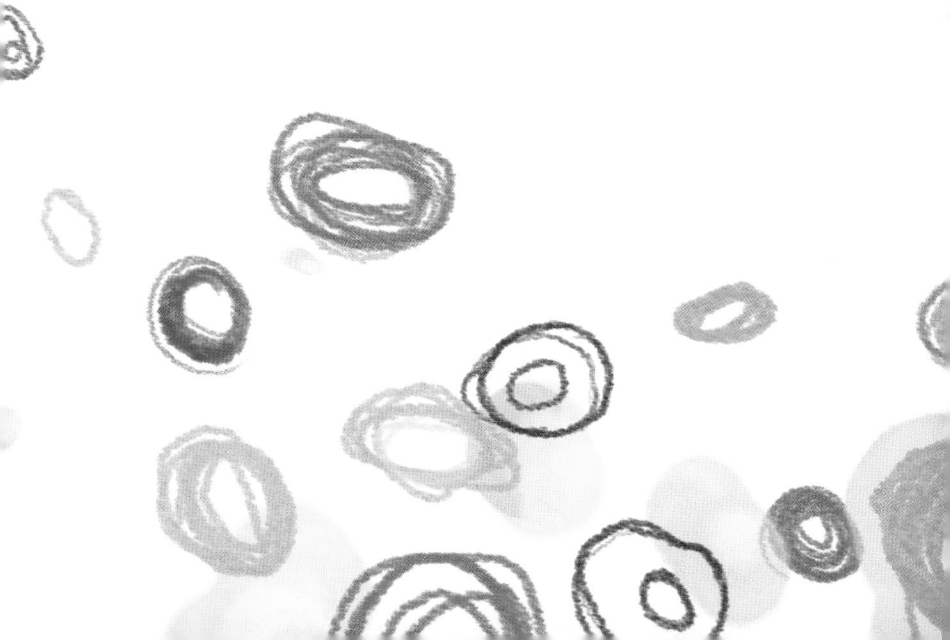

Papá nos recogió, como siempre, un poco tarde y todavía pasamos a comprar el pan y por unos discos nuevos que le había encargado a un amigo.

Cuando ya íbamos llegando, vimos que había unas patrullas y mucha gente en el Banco de enfrente y policías afuera de la puerta del edificio donde está nuestra casa. Ni siquiera se podía abrir el portón para meter el coche. Papá se puso nervioso y preguntó qué pasaba a un vecino que estaba en la banqueta.

—Asaltaron el banco y los ladrones se metieron precisamente aquí. Ya vino la policía, pero no han encontrado a nadie. El señor del departamento diez los vio subir hasta el último piso.

Papá se puso verde. El vecino continuó:

—Ya revisaron en la azotea, pero no encontraron a nadie, aunque oímos un helicóptero y los vecinos del edificio de enfrente dicen que lo vieron acercarse a nuestro edificio...

El vecino también nos dijo que en ese mismo momento la policía estaba en nuestro departamento…

Papá se puso más verde. Nos tomó de la mano y corrimos hasta el elevador. Las manos de papá sudaban. Alejandra se soltó a llorar. Por fin llegamos al piso ocho.

Papá casi se cae antes de entrar. Con el sudor de sus manos y las lágrimas de Ale debió de haberse resbalado. Entramos a la sala donde mamá platicaba con unas vecinas, mientras Manchas ladraba afuera de la puerta del cuarto de mi hermanita.

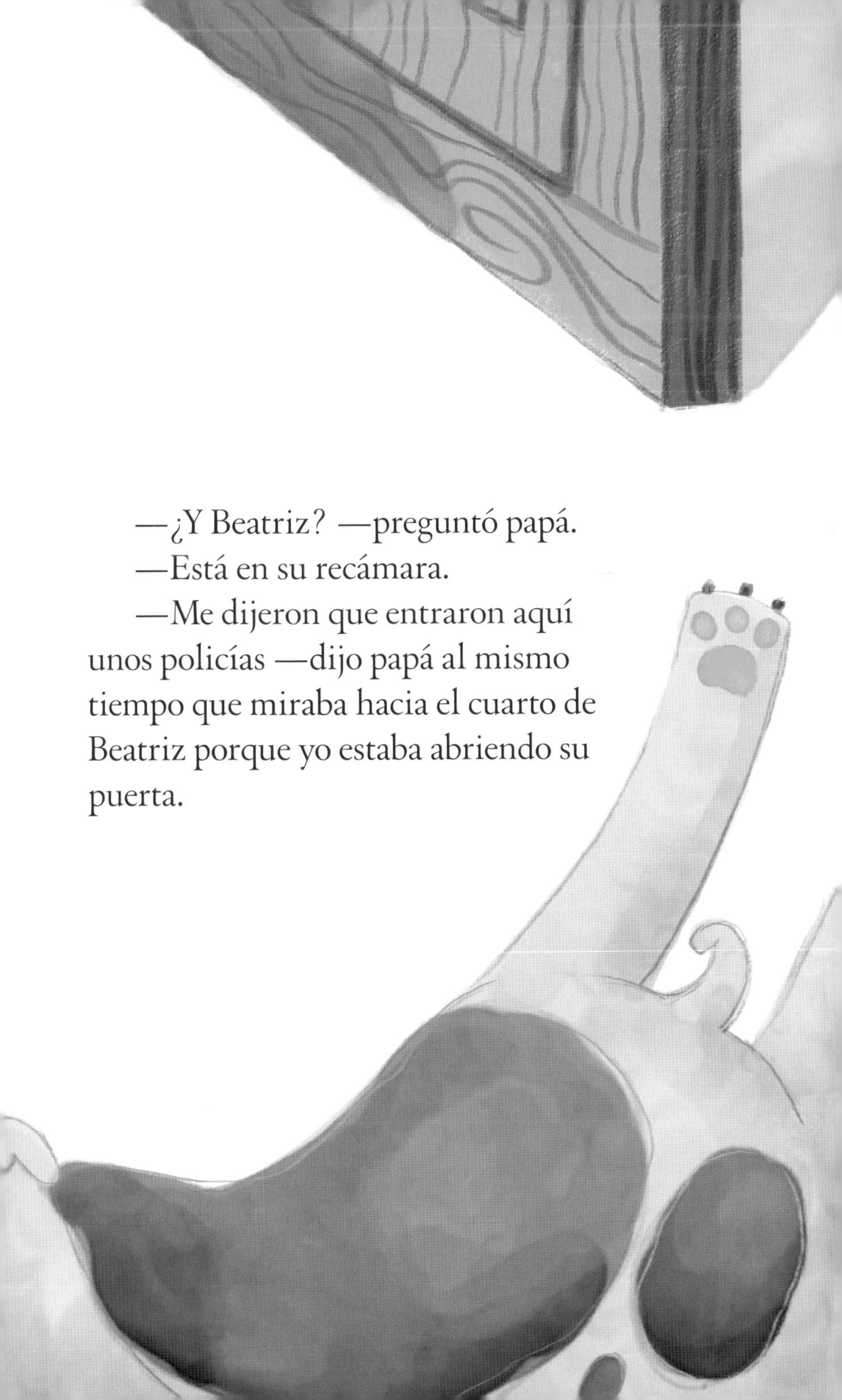

—¿Y Beatriz? —preguntó papá.

—Está en su recámara.

—Me dijeron que entraron aquí unos policías —dijo papá al mismo tiempo que miraba hacia el cuarto de Beatriz porque yo estaba abriendo su puerta.

Todos nos quedamos con la boca abierta: vimos a tres hombres enormes simulando estar sentados en las sillitas, mientras mi hermana hacía como si les sirviera té en las tacitas de su juego.

—¡Papá! —gritó mi hermana y corrió a abrazarlo.

Los hombres, colorados, se levantaron como si las sillitas tuvieran un resorte. Recogieron las armas del piso... Se acercaron a papá...

Con serenidad le explicaron que estaban ahí por órdenes superiores, y que al parecer los ladrones habían escapado en un helicóptero desde la azotea.

Aunque ya habían revisado todos los departamentos, les ordenaron permanecer en el piso ocho (o sea el nuestro) porque, como está antes de la azotea y fue el último lugar por el que una vecina vio pasar a los ladrones, debían quedarse a vigilar hasta estar absolutamente seguros de que todo estaba en orden.

—Si le molesta que estemos aquí, podemos hacer guardia allá afuera —dijo el que parecía ser el jefe.

—No me molesta —respondió papá mientras mi mamá y las vecinas se acercaban.

Todos salieron a la sala y llegaron otros vecinos. Mi mamá les ofreció algo para el susto.

Beatriz se soltó a llorar: la dejaron sola en medio del juego.

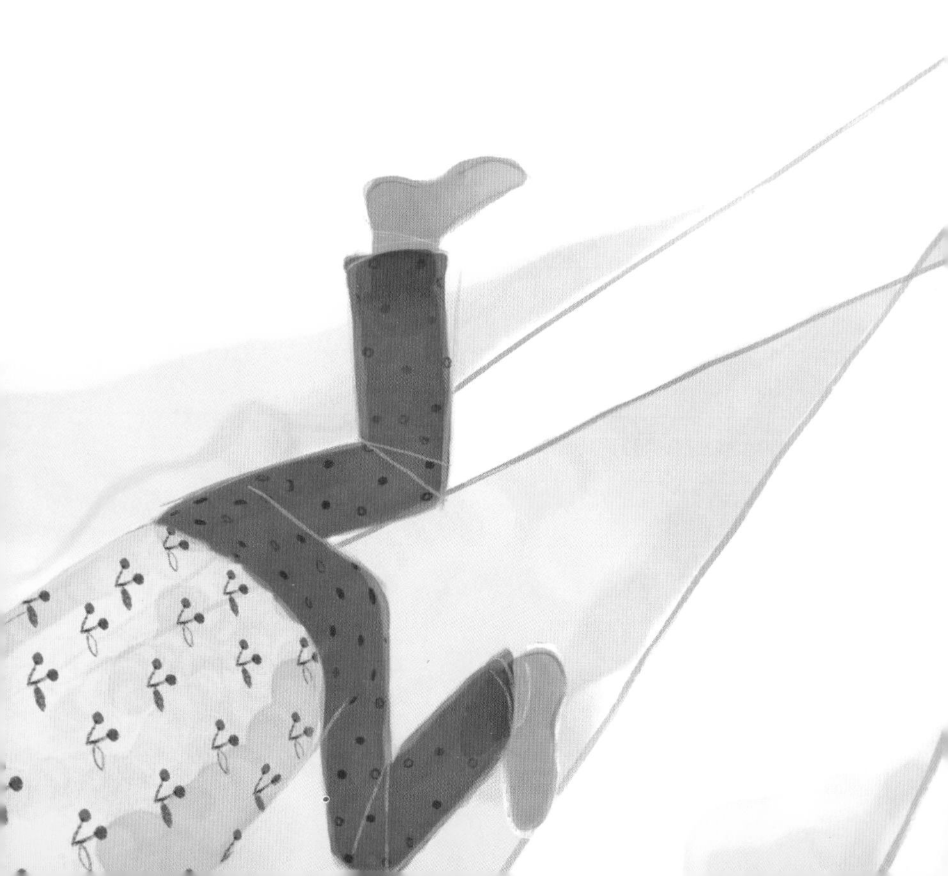

Mientras Alejandra la cargaba y la consolaba, diciéndole que ella se tomaría el tecito y los pasteles, corrí a mi cuarto. Saqué de mi librero mi *Diccionario básico escolar* y busqué: "cromosoma".

Leí: "Elemento que en forma de corpúsculos, filamentos o bastoncillos, existe en el núcleo de las células en el momento de la división".

No entendí nada de esa definición, pero por fin sé para qué sirve el cromosoma que le sobra a mi hermana. Sirve para lo mismo que los chocolates de la bombonera del comedor que mi abuelo come a escondidas: a todos nos ablanda el corazón.

TE CUENTO QUE ESTER HERNÁNDEZ PALACIOS...
nació en Xalapa, México, en 1952, tiene tres hijas y un pequeño ejército de sobrinas. Ha escrito cuentos para niños y libros de crítica literaria. *Domingo por la mañana* resultó finalista del II premio El Barco de Vapor 1997 (México). Con *El cromosoma de Beatriz* comparte con sus lectores una historia especialmente sensible y tierna.

TE CUENTO QUE TERESA MARTÍNEZ...
hace bolitas con las servilletas después de comer, habla con los perros aunque estos no le entiendan, y le gusta mirar hacia las estrellas cuando es de noche porque de día no las ve. Además tiene superpoderes: cuando era niña descubrió que si cerraba los ojos e imaginaba mundos fantásticos, al abrirlos, estos se hacían realidad cuando los dibujaba en papel. Por eso dibuja tanto. Pero ese es su secreto y no podemos decírselo a nadie.